مهربانه ووسه

Be Kind

(پښتو - انګلیسي)

(Pashto – English)

by Livia Lemgruber
translated by Mujeeb Shinwari

Language Lizard
Basking Ridge

Visit www.LanguageLizard.com/Harmony for additional teaching resources, activities, and English audio for this book.

Be Kind Pashto - English
Copyright © 2021 Livia Lemgruber
Published by Language Lizard
Basking Ridge, NJ 07920
info@LanguageLizard.com

Visit us at www.LanguageLizard.com

First edition 2021

Library of Congress Control Number: 2021919709

ISBN: 978-1-63685-107-5 (Print)

د مهربان ووسيدلو
لپاره ډيرى لارې شتون لري.

There are many
ways to be kind.

میګېول د خپلې نیا سره د
تامیلونو په جوړولو کې مرسته کوي.

Miguel helps his
grandmother
make tamales.

ایوانا نوي زده کونکي ته بلنه ورکوي چې د هغې سره کښیني.

Ivanna invites the new student to sit with her.

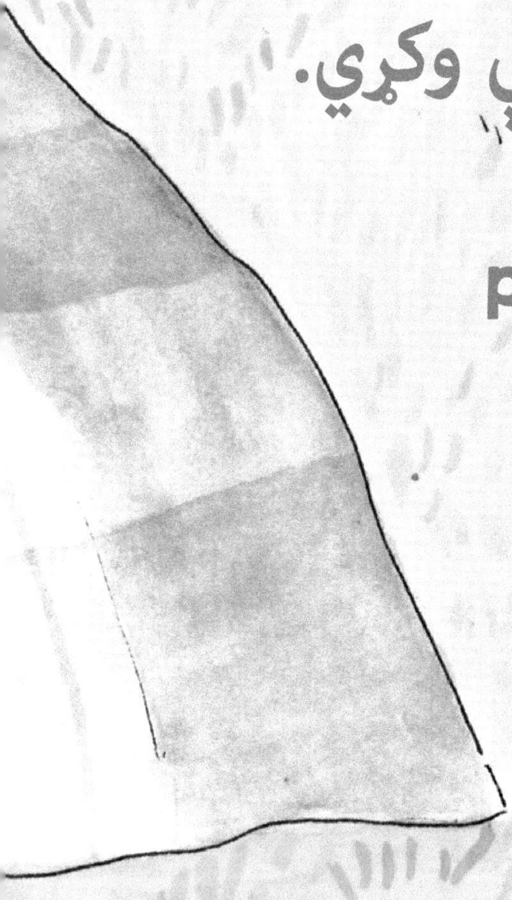

انیا سو-وی ته اجازه ورکوي
چې د هغې نېانځکو سره لوبې وکړي.

Annya lets Su-Wei
play with her dolls.

مایا او کوري د خپل پلار
خوشحالولو لپاره سندرې وايي.

Maia and Kauri sing to cheer up their father.

رفیق د نادیه سره
په سودا کی مرسته کوي.

**Rafik helps Nadia
shop at the market.**

ريمي خپل قلمى دوست
ته يو ليک ليکي.

**Raimi writes a letter
to his penpal.**

يومي خپل زاړه د لوبو سامان
خيرات ته ډالۍ کوي.

**Yumi donates her
old toys to charity.**

انیانګو د هغې خور سره د
اوبو وړلو کې مرسته کوي.

**Anyango helps her
sister carry water.**

پییر په محلي بیکري
کې مرسته کوي.

**Pierre helps out
at the local bakery.**

اسابیلا د پاولو سره په یوه پزل کار کوي.

Isabela works on a puzzle with Paulo.

موږ ټول په مهربانه ژبه خبرې کوو.

**We all speak the
language of kindness.**